司徒文膏刻』，其《自序》云：『爕作詞四十年』，『少年游冶學秦柳，中年感慨學辛蘇，老年淡忘學劉蔣，皆與時推移而不自知者』。所收家書十六通，雖爲寫給其弟之家信，亦可從中窺見其思想發展過程，瞭解其文學藝術主張。前有板橋自題《十六通家書小引》，末署乾隆己巳，即乾隆十四年（一七四九），標司徒文膏刻。板橋創作的《道情》十首，採用流行於揚州、淮安間的『淮揚小調』，使得道情曲在淮揚地區風靡一時。後有跋云：『是曲作于雍正七年，屢抹屢更，至乾隆八年乃付諸梓，刻者司徒文膏也。』

是集爲清代著名寫刻本，《詩鈔》中『范縣作』『濰縣刻』部分及《詞鈔》《家書》《小唱》，字體瀟灑飄逸，似有隨風而舞之感，即所謂『六分半書』，皆爲板橋親自手書上板。

板橋詩詞各集在其生前就刻印流傳，其去世後，加上靳畬輯校《題畫》，裝訂爲四册，原無總的書名。後由於多次翻刻，始冠以《板橋集》之名，並編刻有目録。是書版本較多，有清乾隆間清暉書屋刻本、清善成堂刻本、清西山堂刻本、民國間掃葉山房本等。

鑒於鄭板橋在清代書畫藝術史上的重要影響和地

位，此本校刻俱佳，版式精美，能較好地反映其書法特色，此次特據南京圖書館藏清乾隆間司徒文膏刻本原樣影印。此本原爲蘇州顧氏過雲樓所藏，保存完好，品相較佳，具有較高的版本價值。本次影印，採用宣紙印刷、絲綫裝訂等方式，以期能反映清刻珍本的神韻。

廣陵書社編輯部

二〇二二年六月

詩鈔

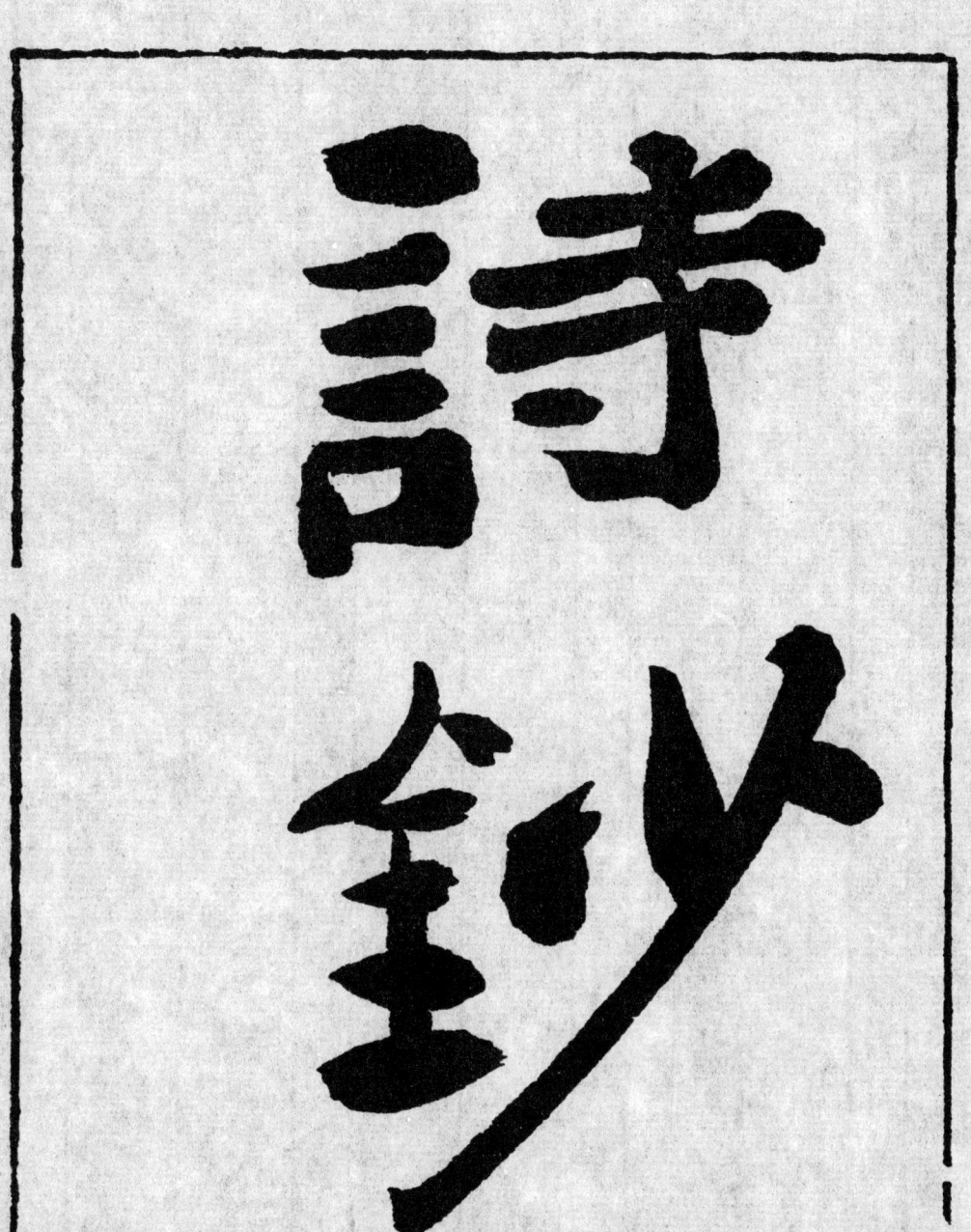

前刻詩序

余詩格卑卑七律尤多放翁習氣二三知己屢詬病之好事者又促余付梓自度後來亦未必能進姑從諛而背直慚愧汗下如何可言板橋自題

後刻詩序

古人以文章經世吾輩所爲風月花酒而已逐光景慕顔色嗟困窮傷老大雖刳形去皮搜精抉髓不過一騷壇詞客爾何與於社稷生民之計三百篇之旨哉屢欲燒去平生吟弄不忍棄之況一行作吏此事又束之高閣姑更定前稿復刻數十首

於後此後更不作矣板橋又題

板橋詩刻止於此矣死後如有託名翻板將平日無聊應酬之作改竄爛入吾必爲厲鬼以擊其腦

紫瓊崖道人慎郡王題詞

高人妙義不求解，充腸朽腐同魚蟹。此情今古誰復知，疏鑿混沌鑱真宰。振枯伐萌陳厥粗，浸淫渙畋刪不無。撩拍縱便月殿曲，走盤亂瀉鮫宮珠。十載相知皆道路，夜深把卷詩櫳屋。明眸不識鳥雌雄，妄與盲人辨烏鵲。

興化鄭燮克柔氏著

鉅鹿之戰

懷王入關自聾瞽楚人太拙秦人虎殺人八萬取漢中江邊鬼哭酸風雨項羽提戈來救趙暴雷驚電連天掃臣報君讐子報父殺盡秦兵如殺草戰酣氣盛聲喧呼諸侯壁上驚魂逋項王何必爲天子只此快戰千古無千奸萬黠藏兇戾曹操朱温盡稱帝何似英雄駿馬與美人烏江過者皆流涕

種菜歌 爲常公延齡作

有明萬曆天啓間時事壞爛生兇頑羣賢就戮九千歲宮中不復尊龍顏烈皇帝起震而怒練帛一條殪凶孺天荒氣敗不可回龜鼎潛移九廟仆蒼谷先生開平嗣屢疏交章稱天意提將白刃守宮門散盡黃金酬死事都城陷没走南邦惡孽桐城馬貴陽新王夜夜酣春夢戍卒朝朝立曉霜上方請劍長號嗁忠讜不聞城又破虎口纔離二黠奸孤舟欲覆江流大買田種菜作生涯淚落春風迸野花嬾尋舊第烏衣巷怕看鍾山日暮霞荷鋤負擔爲傭保菜羹糲食隨荒草時供麥飯孝陵前一

聲長哭松楸倒家有賢媛魏國孫甘貧茹苦破柴門燒燬昔日鴛鴦錦滌盡從前翡翠痕一畦菜熟一畦種時時汲水提春甕玉纖牽斷井邊繩茅棚壓匾釵梁鳳幾年毷氉先生死含飯無資乞鄰里天涯有客獨揮金棺衾畫翣皆周視人心不死古今然欲往金陵問菜田招魂何處孤臣墓萬里春風哭杜鵑

題雙美人圖

珮環搖動湘裙冷俏風偷入羅衫領美人相倚借餘温細語無聲親素頸玉指尖纖指何許似笑姮娥無伴侶又似天邊笑薄雲夜寒不得成濃雨

自遣

嗇彼豐茲信不移我于困頓已無辭束狂入世猶嫌放學拙論文尚厭奇看月不妨人去盡對花只恨酒來遲笑他縑素求書輩又要先生爛醉時

山色

山色清晨望虛無杳靄間直愁和霧散多分遣雲攀流水澹然去孤舟隨意還漁家破蓑笠天肖令之間

詩四言

夜殺其人明坐其家處分息事咤衆毋譁主人不知託爲腹心無奸不直無淺不深仁義之言出于聖口奸邪竊似濟欲忘醜播談忠孝聲悽淚痛哈誑賢明況汝愚衆當春不華蓄意待秋秋又不實行將誰尤葺蔓藏蛇梧桐嘰鳳象分性别各以類貢況汝棘刺鴟鴞避之乃思鸞凰槁死不知求利于地絲枲稼穡求利于天鋤慾植德求利于物網罟釣弋求利于人面曲背直有禽其心有獸其力詆賢玩愚寢危卧仄天亦汝憐大道不塞

偶然作

英雄何必讀書史直攄血性爲文章不仙不佛不賢聖筆墨之外有主張縱横議論析時事如醫療疾進藥方名士之文深莽蒼胸羅萬卷雜霸王用之未必得實效崇論閎議多慨慷雕鎪魚鳥逐光景風情亦足喜且狂小儒之文何所長抄經摘史餖飣強玩其詞華頻赫爍尋其義味無毫芒第頌其師客談說居然拔幟登詞場初驚既鄙久蕭索身存氣盛名先亡輦碑刻石臨大道過者不讀倚壞牆嗚呼文章自古通造化息心下意毋躁忙

送友人焦山讀書

焦山須從象山渡參差上下一江樹高枝倒挽行雲住低枝搏擊江濤怒枯藤盤拏蛇走壁怪石崚嶒鬼峽路日落煙生江霧昏微茫星火沿江村忽然飛鏡出東海萬里一碧開乾坤夜悄山中更淒肅鸛鶴無聲千樹禿鄰屋時聞老僧咳山魈遠在雲端哭幾年不到大江濱花枝鳥語春復春抱書送爾入山去雙峯覓我題詩處

海陵劉烈婦歌

烈婦夫武舉從左良玉陣亡無後婦誓奉公姑待其終年即自縊死州人哀之稱爲劉烈婦云

濕雲壓牕燈欲死少婦停梭拂衣起夜慘心孤倦欹臥沙場夢入深閨裏破甲殘旗褁血痕手提敗鼓號寃鬼自云轉戰身陷没斷骸漂骨黃河奔倉皇躑躅婦驚覺羣犬亂吠秋籬根深夜欲啼啼不得淚珠迸落羅衾濕抹去胭脂罷曉粧翠翹雲鬢無顏色凶問傳來敗散軍果然與夢無差分溫言緒語慰翁媼幽閨裂破繡羅裙椎心一哭數斗血紙錢飄去迴秋雲柴門寂寞雞飛鬪病婦把家門户瘦夜夜寒機達曙光朝朝破井提甕幾十畝荒

寥落百花洲老屋破還在遠水如帶環東風吹野菜

七歌

鄭生三十無一營學書學劍皆不成市樓飲酒拉年少終日擊鼓吹竽笙今年父歿遺書賣剩卷殘編看不快爨下荒凉告絶薪門前剝啄來催債嗚呼一歌兮歌偪側皇遽讀書讀不得

我生三歲我母無叮嚀難割襁中孤登牀索乳抱母卧不知母歿還相呼兒昔夜啼啼不已阿母扶病隨啼起婉轉噢撫兒熟眠燈昏母咳寒窗裏嗚呼二歌兮夜欲半鵶棲不穩庭槐斷

無端涕泗横闌干思我後母心悲酸十載持家足辛苦使我不復憂饑寒時缺一升半升米兒怒飯少相觸牴伏地啼呼面垢汙母取衣衫爲湔洗嗚呼三歌兮歌彷徨北風獵獵吹我裳

有叔有叔偏愛姪護短論長潛覆匿倦書逃藥無事無藏懷負背趨而逸布衾單薄如空橐敗絮零星兼卧惡縱横溲溺漫不省就濕移乾叔夜醒嗚呼四歌兮風蕭蕭一天寒雨聞雞號

幾年落拓向江海謀事十事九事殆長嘯一聲沽

酒樓背人獨自問貞宰枯蓬吹斷久無根鄉心未盡思田園千里還家到反怯入門忸怩妻無言嗚呼五歌兮頭髮豎丈夫意氣閨房沮

我生二女復一兒寒無絮絡饑無糜啼號觸怒事鞭朴心憐手軟翻成悲蕭蕭夜雨盈階戺空床破帳寒秋水清晨那得餅餌持誘以貪眠罷早起嗚呼眼前兒女兮休呼爺六歌未闋思離家

種園先生是吾師竹樓桐峯文字奇十載鄉園共遊憩壯心磊落無不爲二子辭家弄筆墨片語千人氣先塞先生貧病老無兒閉門僵臥桐陰北嗚呼七歌兮浩縱橫青天萬古終無情

種園先生陸震　竹樓王國棟　桐峯顧于觀

哭犉兒五首

天荒食粥竟爲長慚對吾兒淚數行今日一匙澆汝飯可能呼起更重嘗

歪角鬈兒好戴花也隨諸姊要盤鴉於今寶鏡無顔色一任朝光滿碧紗

墳草青青白水寒孤魂小膽怯風湍荒塗野鬼誅求慣爲訴家貧楮鏹難

可有森嚴十地開兒魂一去幾時回啼號莫倚嬌

憐態邏剎非而父母來
蠟燭燒殘尚有灰紙錢飄去作塵埃浮圖似有三
生說未了前因好再來

邨塾示諸徒

飄蓬幾載困青氈忽忽邨居又一年得句喜拈花
葉寫看書倦當枕頭眠蕭騷易惹窮途恨放蕩深
慚學俸錢欲買扁舟從釣叟一竿春雨一蓑煙

淮陰邊壽民葦間書屋

邊生結屋類蝸殼忽開一窗洞寥廓數枝蘆荻撐
煙霜一水明霞靜樓閣夜寒星斗垂微茫西風入
幰搖燭光隔岸微聞寒犬吠幾撚吟髭更漏長

項羽

已破章邯勢莫當八千子弟赴咸陽新安何苦坑
秦卒壩上焉能殺漢王玉帳深宵悲駿馬楚歌四
面促紅粧烏江水冷秋風急寂寞野花開戰場

鄴城

劃破寒雲漳水流殘星畫角動譙樓孤城旭日牛
羊出萬里新霜草木秋銅雀荒涼遺瓦在西陵風
雨石人愁分香一夕雄心盡碑版仍題漢徹侯

銅雀臺

銅雀臺十丈起掛秋星壓寒水漳河之流去不已曹氏風流亦可喜西陵松柏是新栽松下美人皆舊妓當年供奉本無情死後安能强哭聲繐幃八尺催歌舞嬾慢盤鴉鬟不成若教賣履分香後盡放民間作佳偶他日都梁自撿燒回首君恩淚霑袖

泜水

泜水清且淺沙礫明可數漾漾浮輕波悠悠滙遠浦千山倒空青亂石兀崖堵我來恣游泳浩歌懷往古偪側井陘道卒列不成伍背水造奇謀赤幟立趙土韓信購左車張耳陋肺腑何不赦陳餘與之歸漢主

易水

子房既有椎漸離亦有筑荆卿利匕首三人徒碌碌世濁無鳳麟運否縱蛇蝮雷霆避其威人謀焉得速蕭蕭易水寒悄悄燕丹哭事急履虎尾僨轅終敗轅酒酣市上情一徃不可復

贈甕山無方上人二首

山裏都城北僧居御苑西雨晴千嶂碧雲起萬松低天樂飄還細宮莎剪欲齊萊人驅豆馬歷歷傀

長隄

一見空塵俗相思已十年補衣仍帶綻閒話亦深
禪煙雨江南夢荒寒薊北田閒來澆菜圃日日引
山泉

追憶莫愁湖納凉

江上名湖號莫愁納凉先報楚江秋風從緑若梢
頭響雲向青山缺處流尚憶羅襟霑竹露可堪清
夢隔沙鷗遥憐新月黄昏後團扇佳人正倚樓

送職方員外孫丈歸田 諱兆奎

先生六月江南去傲槖秋風亦徑歸鱸鱠先嘗應

憶我蕨薇堪飽莫閒扉故人幾輩頭俱白後學相
看識者稀淮海文章終自在任渠披謁絳紗幃
鶴兒灣畔藕花香龍舌津邊稉稻黄小艇霧中看
日出青錢梆下買魚嘗邨墟古廟紅墻立天末孤
雲白帶長借取漁家新箬笠一竿煙雨入滄浪

嶧山

徐州五色土乃在嶧山下凸凹見青黄崩裂墮赤
赭偃蹇十里石蓄怒卧牛馬苔斑古銅鑄黒骨積
鐵冶耆然觸穹蒼千峯搆雲廈曲逕囬腸盤飛泉
震雷瀉古碑斷蟲魚老屋頽甓瓦秋河倚可竭寒

星摘盈把悲烏百羣叫孤鶴萬年寡結茅此閒住萬事棼棼可捨山中古仙人或有騎龍者

山寺

山頂何年寺寒牆補破雲古鐘雀巢鈕斷石蘚成文僧話從教譯爐香久不焚廻風吹柿葉淒響正紛紛

徐君墓

湛盧夜哭墳頭樹天神百怪精靈聚月射芙蓉冷露凝霜寒鞞琫銀蛇吐殷殷時呼水底龍熊熊欲化山頭虎爲表延陵萬古心恐負徐君三尺土世人掇贈不及身百千賻布空爾情季子抱恨刻心骨區區掛劍徒虛名眼前眷戀情難厭死後相思空寄念席上摩挲便贈之一條秋水橫棺殮

贈博也上人

閉門何處不深山蝸舍無多八九間人跡到稀春草綠燕巢營定畫梁閒黃泥小竈茶烹陸白雨幽窓字學顏獨有老僧無一事水禽沙鳥聽關關

寄許衡山

江淮韻士許衡州近日蕭疎似昔不好事春泥修茗竈多情小盌覆詩闌食眠消滅緣花瘦鶯燕商

暈怨水流我有無題新脫稿寄君吟向小朱樓

寄松風上人

豈有千山與萬山別離何易來何難一日一日似流水他鄉故鄉空倚闌雲補斷橋六月雨松扶古殿三時寒笋脯茶油新麥飯幾時猿鶴來同餐

喜雨

宵來風雨撼柴扉早起巡簷點滴稀一逕煙雲蒸日出滿船新綠買秧歸田中水淺天光淨陌上泥融燕子飛共說今年秋稼好碧湖紅稻鯉魚肥

弘量上人精舍

淼淼秋濤湧樹根西風落葉破柴門蠻鴉日暮無人管飛起前村入後邨

山門夜悄不能呼冷燭姝船宿葦蒲殘月半天霜氣重曉鐘雞唱滿東湖

題畫

秋山秋樹秋水蒼瘦禿落清駛舊曾遊望依稀湫湫雁行沙背

悍吏

縣官編丁著圖甲悍吏入村捉鵝鴨縣官養老賜帛肉悍吏沿村括稻穀豺狼到處無虛過不斷人

喉抉人目長官好善民已愁况以不善司民牧山
田苦旱生草菅水田浪闊聲潺潺　聖主深仁發
天庾悍吏貪勒爲刁奸索逋洶洶虎而翼叫呼楚
撻無寧刻村中殺雞忙作食前村後村已屏息嗚
呼長吏定不知知而故縱非人爲

私刑惡

自魏忠賢拷掠羣賢淫刑百出其遺毒猶在人
間胥吏以慘掠取錢官長或不知也仁人君子
有至痛焉

官刑不敵私刑惡掾吏搏人如豕搏斬筋抉髓剔
毛髮督盜搜贓例苛虐吼聲突地無人色忽漫無
聲四肢直游魂蕩漾不得死婉轉迴甦天地黑本
因凍餒迫爲非又值姦刁取自肥一絲一粒盡搜
索但憑皮骨當嚴威纍纍妻女小兒童拘囚繫械
網一空牽累無辜十七八夜來鎖得鄰家翁鄰家
老翁年七十白梃長椎敲更急雷霆收聲怯吏威
雲昏雨黑蒼天泣

撫孤行

十年夫歿鬻書簏歲歲曬書抱書哭縹緗破裂方
錦紋玉軸牙籤斷湘竹孀婦義不賣藏書况有孤

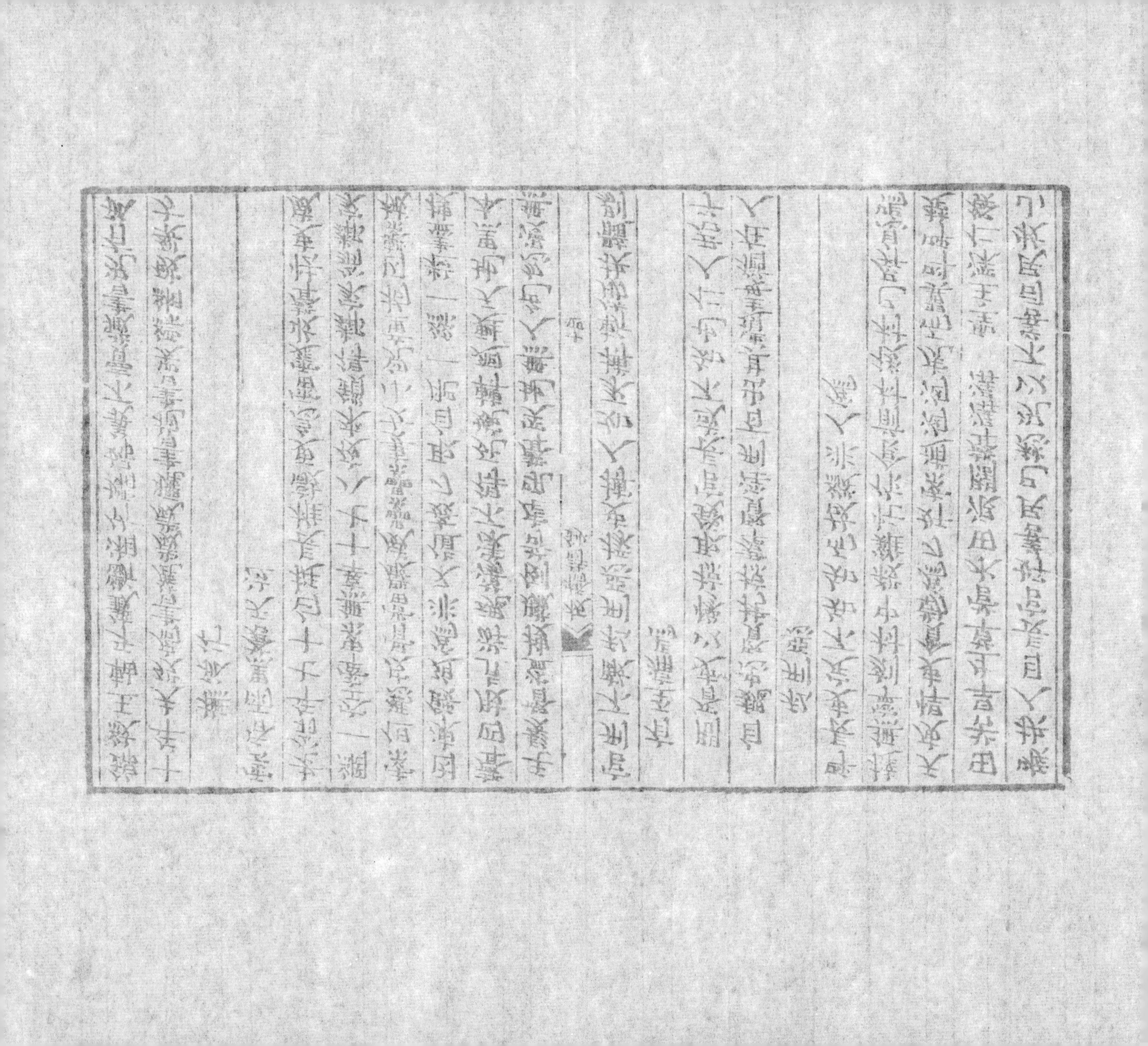

雛是遺腹四壁塗鴉嗔不止十日索墨五日紙學俸無錢愧塾師綫脚鉞頭勞十指燈昏焰短空房黑兒讀無多母長織敗葉走地風沙沙檢點兒眠聽曉鴉

贈巨潭上人三首

山骨蒼寒壓古牆壞廊拳曲入僧房金錢十萬誰來施多起樓臺占夕陽

墨碟鉛匙一兩三半窗畫意寫江南誰家綃素催人急先向空中作遠嵐

寒煙裊裊淡孤邨一緒霜華界瓦痕聽足曉窗無一事滿山晴日未開門

別梅鑑上人

海陵南郭居人少古樹斜陽破佛樓一逕晚煙籬菊瘦幾家黃葉荳棚秋雲山有約憐狂客鐘鼓無情老比邱回首舊房留宿處暗窗寒紙颯颼颼

客揚州不得之西邨之作

自別青山負夙期偶來相近輒相思河橋尚欠年時酒店壁還留醉後詩落日無言秋屋冷花枝有恨曉鶯癡野人話我平生事手種垂楊十丈絲

再到西村

青山問我幾時歸春雨山中長蕨薇分付白雲留倦客依然松竹滿柴扉送花鄰女看都嫁賣酒村翁與不違好待秋風禾稼熟更修老屋補斜暉

除夕前一日上中尊汪夫子

瑣事貧家日萬端破裘維補不禁寒餅中白水供先祀窓外梅花當早餐結網縱勤河又沍賣書無主歲偏闌明年又值掄才會顒向秋風借羽翰

秋夜懷友

斗帳寒生衾被輕踈星歷歷隔窓明滿階蕉葉兼梧葉一夜風聲似雨聲塞北天高鴻雁遠淮南木落楚江清客中又念天涯客豈是相思過一生

芭蕉

芭蕉葉葉爲多情一葉纔舒一葉生自是相思抽不盡却教風雨怨秋聲

梧桐

高梧百尺夜蒼蒼亂掃秋星落曉霜如何不向西州植倒挂綠毛么鳳皇

得南闈捷音

忽漫泥金入破籬舉家歡樂又增悲一枝桂影功名小十載征途發達遲何處寧親惟哭墓無人對

鏡嬾窺帷他年縱有毛公檄捧入華堂却慰誰

山中雪後

晨起開門雪滿山雪晴雲淡日光寒簷流未滴梅花凍一種清孤不等閒

題畫

兩岸青山聚米多長江窄窄一條梭千秋征戰誰將去都入漁家破網羅

莫爲

莫爲甄妃感寂寥袁曹寵幸舊曾饒周郎早世孫郎殀腸斷江東大小喬

小廊

小廊茶熟已無煙折取寒花瘦可憐寂寂柴門秋水闊亂鴉揉碎夕陽天

懷舍弟墨

我無親弟兄同堂僅二人上推父與叔豈不同一身一身若連枝葉葉相依因樹大枝葉富樹小枝葉貧況我兩弱榦荒河蔓草濱走馬折爲鞭樵斧摧爲薪含悽度霜雪努力愛秋春我年四十二我弟年十八憶昔幼小時清癯欠肥肭老父酷憐愛謂叔晚年兒餅餌擁其手病飽不病飢出門幾回

顧入門先抱持年來父叔歿移家僦他宅幸有破茅茨而無飽糠覈老兄似有才苦不受繩尺賢弟才似短循循受謙益前年葬大父壙有金蝦蟆或云是貴徵便當興其家起家望賢弟老兄太浮誇家貧富書史我又無兒子生兒當與分無兒盡付爾離家一兩月念爾不能忘客中有老樹枝葉鬱蒼蒼東枝近簷屋西枝過鄰牆兩枝不相顧剪伐誰護將感此傷我懷苦樂須同嘗

晝苦短

晝苦短夜正不長清歌妙舞看未足樓頭曙鼓聲皇皇明星掖地纔數尺日光搖動來扶桑晝苦短晝亦不短山中暇日如小年塵世光陰疾如箭古來開國多聖明歷盡艱難身百戰一朝勘定稱至尊承明殿上頭毛變安期棗盡還瘦羸赤松黃帝墳纍纍學仙學佛空爾爲晝苦短西日飛

贈高郵傅明府并示王君廷藥 傅諱椿

出牧當明世銘心慕古賢安人龔渤海執法况青天瑣細知幽奧高明得靜便星躔羅腹底氷雪耀肴端昔守淮隄撼曾憂暑雨濺麻鞵操畚鍤百口寄舟船生死同民命崎嶇犯世嫌上官催决塞小

吏只壅田時值西風急憑翻竹楗編孤城將不保
一命敢求全痛哭蒼天應焚香巨浪恬支祈收震
怒河伯効淵潛運道終無恙居民亦有年稻粱千
里熟歌舞數州連魚蟹多無算雞豚不計錢青帘
橋畔酒細雨樹中煙父老村村祝銓衡緩緩遷文
游春水湛甓社夜珠懸願獻長溪藻還供縮項鯿
鄰邦咸取法下邑賜矜憐訪我荒城北停舟荻岸
邊一談胸吐露數盞意周旋頗有王生者曾經絳
幄延美材承斲削高義破迍邅約束神應阻鑪錘
器益堅秋風動南國六翮會翩躚

落拓

乞食山僧廟縫衣歌妓家年年江上客只是爲看
花

贈潘桐岡

讀書必欲讀五車胸中撑塞如亂麻作文必欲法
前古婢學夫人徒自苦吾曹筆陣凌雲煙掃空氛
翳鋪青天一行兩行書數字南箕北斗排星躔有
時滴墨嬌且妍曉花浮露春風鮮畫眉女郎年十
四欲折不折心相憐斬龍殺虎提龍泉定情温細
桃花牋蕭蕭落落自千古先生信是人中仙天公

曲意來縛縶囷倒揚州如束濕空將花鳥媚屠沽獨遣愁魔惱英特志亦不能爲之抑氣亦不能爲之塞十千沽酒醉平山便拉歐蘇共歌泣君不見迷樓隋帝最荒淫千秋猶占煙花國名姬百琲試琵琶駿馬千金買鞍勒丈夫得志會有時人生意氣何終極揚州四月嫩晴天且買櫻笋鰣魚相啖食

觀潮行

銀龍翻江截江入萬水爭飛一江急雲雷風霆爲先驅潮頭聳竝青山立百里之外光熒熒若斷若

續最有情崩轟喧豗倏已過萬馬飛渡蕭山城錢塘岸高石五丈古松大櫟盤森墺翠樓朱檻衝波翻羽旗金甲雲濤上伍胥文種兩將軍指揮鯤鰱鯨鼉蟒杭州小民不敢射盪豬擊彘來相享我輩平生多鬱塞豪情逸氣新搔癢風定月高潮漸平老魚夜哭蛟宮盪

弄潮曲

錢塘小兒學弄潮硬篙長楫捺復捎舵樓一人如鑄鐵死灰面色睛不搖潮頭如山挺船入艢艕掀翻船豎立忽然滅沒無影蹤緩緩浮波衆船集潮

平浪滑逐沙鷗歌笑山青水碧流世人壓險應如此忍耐平夷在後頭

肅宗

百戰艱難復兩京范陽餘孽尚縱橫太平天子無愁思内殿惟聞打子聲

南内

南内凄清西内荒淡雲秋樹滿宮牆由來一百代明天子不肯將身作上皇

韜光

韜光古庵嵌山巘北窓直吸餘杭縣葛洪小兒峰嶺低南屏一片排秋扇錢塘雪浪打西湖只隔杭州一條綫海日烘雲濕已乾下界奔雷作蛇電山中老僧貌奇古十年不踏西泠土厭聽湖中歌吹聲肯來伺候衙門鼓曲房幽澗養神魚古碑剔蘚蝌蚪書銅缾野花烏几静湘簾竹榻清風徐飲我食我復𩟗我茅屋數間山側左分屋而居分地耕夜燈共此琉璃火我已無家不願歸請來了此前生果

偶成

雨過天全嫩樓新燕有情江晴春浩浩花落水平

平越女吹簫坐吳兒撥馬行回頭各含意煙柳閒州城

飲李復堂宅賦贈

四月十五月在樹淡風清影摇窗户舉酒欲飲心事來主客無言客起去主人起家最少年驊騮初試珊瑚鞭護　蹕出入古北口橐筆侍直
仁皇前才雄頗爲世所忌口雖贊歎心不然蕭蕭匹馬離都市錦衣江上尋歌妓聲色荒淫二十年丹青縱横三千里兩嬰世網破其家黄金散盡妻孥恚剥啄催租惱吏頻水田千畝翻爲累途窮賣畫畫益賤傭兒賈豎論非是昨畫雙松半未成醉來怒裂澄心紙老去翻思踏軟塵一官聊以庇其身幾遍花開上林樹十年不見京華春此中滋味淡如水未忍明良徑賤貧

題團冠霞畫山樓

豎幅横披總畫山滿樓空翠滴煙鬟明朝買棹清江上却在君家圖畫閒

大中丞尹年伯贈帛　諱會一

落拓揚州一敝裘綠楊蕭寺幾淹留忽驚霧縠來相贈便剪春衫好出遊花下莫教霑露滴燈前還

擬覆香篝興來小步隋隄上滿袖東風散旅愁

題遊俠圖

大雪滿天地胡爲仗劍游欲談心裏事同上酒家樓

題程羽宸黃山詩卷

黃山劈空青造化何技癢陰陽未判割精氣互滉瀁團結勢綿亘抽拔骨撐掌日月始明白雲龍漸來往軒戒末苗裔鍊丹破幽闢天都强名目芙蓉謬借奬秦漢封錮深唐宋遊屐廣雲海盪詩肺松濤簸天響飛泉百斷續怪石萬魍魎少少塔廟開微微金翠榜岑崿畏樓殿龍象森灌莽鸛鶴鷦鳩鵁榛榧棗栗橡巖果垂纍纍仙禽翩晃晃山腰矮雷電峰頂聳蒲蔣膚土寸若金風蘿寄於網轉遥窄欲墮陟巇睒還惆我欲躋巔嶠夢寐徒悵怏陸騎姑熟驢波泛浙江槳覊遲婚嫁累茍賤簪笏想山靈久拒斥飛砂擊俗顙輪君飽遊憩晴嵐披翠爽澡泉暢骨脉卧雪歆瀣沆聒耳流琮琤聳身峰仄仰摘星揭户牖洗日滌盆盎賦詩數十篇才思何闊朗刻畫寵金石鏗鏘叶平上硃砂入爐竈天馬受覊鞅骨重勢鬱紆神清氣英蕩作記數千言

瑣細傳幽賞同遊誰何人吾宗庱谷黨當境欣淋漓離懷惜疇曩昔我未追逐今我賀慨悵萬頹林壑最一官休歙儻當復邀同遊爲君負笻氅

贈張蕉衫

淮南又遇張公子酒滿青衫日已曛攜手玉勾斜畔去西風同哭窈孃墳

上江南大方伯晏老夫子 諱斯盛

虎瞰峯高迥出雲鳳池春早曲流紋才充上苑千林秀氣壓西江九派分舟下牂牁開漲海山臨銅鼓拂南薰武侯千載征蠻後直待先生展大文

公新渝人由翰苑視學貴州

歸朝晉秩列卿班檢點形儀肅珮環虎旅千人排象闕鵷行九品拜龍顏再持文柄心逾下屢沐殊恩意轉閒慚愧無才經拂拭也隨桃李謁高山

公以大鴻臚分校禮闈

星軺渺渺下南邦斂匣書囊動曉裝六代煙花迎節鉞一江波浪湧文章雲邊保障開鍾阜天下軍儲仰建康赤旱于今憂不細披圖何以繪流亡

淮南大郡古揚州小縣人居薄海陬架上縹緗皆舊帙枕中方略問新猷鄱湖浪闊輸洋子匡阜雲

來潤石頭手把干將渾未試幾回磨淬大江流

由興化迂曲至高郵七截句

百六十里荷花田幾千萬家魚鼻邊舟子搦篙撐不得紅粉照人嬌可憐

煙蓑雨笠水雲居鞵樣船兒蝸樣廬賣取青錢沽酒得亂攤荷葉擺鮮魚

湖上買魚魚最美煮魚便是湖中水打槳十年天地間鷺鷥認我爲漁子

買得鱸魚四片腮蓴羹點豉一尊開近來張翰無心出不待秋風始却回

柳塢瓜鄉老緑多么紅一點是秋荷暮雲卷盡夕陽出天末冷風吹細波

一塘蒲過一塘蓮荇葉菱絲滿稻田最是江南秋八月雞頭米賽蚌珠圓

船窗無事哺秋蟲容易年光又冷風繡被無情團扇薄任他霜打柿園紅

贈國子學正侯嘉璠弟

讀書數萬卷胸中無適主便如暴富兒頗爲用錢苦大哉侯生詩直達其肺腑不爲古所累氣與意相輔灑灑如貫珠斬斬入規矩當今文士場如公

那可睹家住浙東頭山凹水之滸鴈峰天上排台根海底桩樹密龍氣深雲霾石情怒安得從君遊嘯歌入天姥龍湫萬丈懸對坐濯靈府我詩無部曲瀰漫列卒伍轉鬬屢蹶傷猶思暴猛虎家非山水鄉半生食鹽鹵頑石亂木根憑君施巨斧

贈胡天游弟

作文勉强爲荆棘塞喉齒乃興勃發處煙雲拂滿紙檢點豈不施濤瀾浩無涘昨讀秋霖賦觸手生妙理塗抹古是非排撻世歡喜抽思雲影外造語石骨裏李廣飛將軍自然成壁壘列子御風行庸

夫尋轍軌錢塘江雨青山陰石髮紫何必采靈芝千崖看秀起山靈愛狂逸魑魅識才技雜沓吾揚州煙花欲羞死

燕京雜詩

不燒鉛汞不逃禪不愛烏紗不要錢但願清秋長夏日江湖常放米家船

偶因煩熱便思家千里江南道路賒門外綠楊三十頃西風吹滿白蓮花

碧紗窗外綠芭蕉書破繁陰坐寂寥小婦最憐消渴疾玉盤紅顆進冰桃

呈長者

御溝楊柳萬千絲雨過煙濃嫩日遲擬折一枝猶未折罵人春燕太嬌癡

桃花嫩汁搗來鮮染得幽閨小樣箋欲寄情人羞自嫁把詩燒入博山煙

酬中書舍人方超然第

研粉宮箋五色裁兎毫揮斷紫煙煤書成便擬蘭亭帖何用蕭郎賺辨才

君家兩世文名盛宦況蕭條分所宜笑我筆花枯已盡半生寬相作貧兒

老伯文斳先生諱桀如

讀昌黎上宰相書因呈執政

常怪昌黎命世雄功名之際太匆匆也應不肯他途進惟有修書謁相公

甕山示無方上人

松梢鷹影度清秋雲淡山空古寺幽蟋蟀亂鳴黃葉逕瓜棚半倒夕陽樓客來拈飲欣同出僧去烹茶又小留寄語長安車馬道觀魚濠上足天游

寄青崖和上

山中卧佛何時起寺裏櫻桃此日紅驟雨忽添煙

下水泉聲都作晩來風紫衣鄭重
君恩在
御墨淋漓象教崇透脫儒書千萬軸遂令禪事得真
空

訪青崖和尚和壁間晴嵐學士虛亭侍讀原韻 晴嵐張公若靄虛亭鄂公容安

西風肯結萬山緣吹破濃雲作冷煙匹馬徑尋黃葉寺雨晴稻熟早秋天

渴疾由來亦易消山前酒旆望迢遙恒深更飲秋潭水帶月連星酉一瓢

屋邊流水勢潺湲峭壁千條瀑布繁自是老僧饒佛力杖頭撥處起靈源

烟霞文字本關情袍笏山林味總清兩兩鳳凰天外叫人間小鳥更無斁

法海寺訪仁公

昔年曾此摘蘋婆石逕攲危挽綠蘿金碧頓成新法界惜他荒朴轉無多

參差樓殿密遮山鴉雀無聲樹影閒門外秋風敲落葉錯疑人叩紫金鐶

樹滿空山葉滿廊袈裟吹透北風涼不知多少秋

滋味卷起湘簾問夕陽

同起林上人重訪仁公

幾日不相見作詩盈一囊立殘雲外漏銷盡定中香雨歇四天碧風高秋稼黄可應歌擊壤更爲繼陶唐

賓主吟聲合幽窗夜火然風鈴如欲語樹鶴不成眠月轉山沉霧花深鳥入煙朝霞鋪滿徑裁取作蠻牋

勝地前朝闢青山帝主情莫教輕一物可待報他生齋粥分天庾盤蔬列貢瞿秋風滿松壑幽梵曉來清

山中夜坐再陪起上人作

人語山上煙月出秋樹底清光射玲瓏峭壁澄寒水棲鳥見其腹歷歷明可指秋蟲草際鳴切切哀不已禪心冷欲冰詩懷淡彌旨吟成無牋麻書上破窗紙

頑奴倦烹茶湯沸火已滅冷然酌秋泉心肺總寒冽叢花夜露滋細媚石上茁老槐恃氣力排風骨正折坐久月當中寒光射毛髮不但飲秋泉此心何得熱

晨起望諸山，煙嵐漭漲塞。陽烏初出海，氣弱不得力。墨雲橫亙天，穉霞斂頳色。重帛那禁寒，擁裘坐巖巔。露重如小雨，徑危滑難陟。酸棗垂纍纍，瓜果蔓寒棘。招手謂山鳥，與爾得飽食。詩成令我寫，寫就復塗抹。骨脈微參差，有愛忍心割。未得如抽繭，鍼尖隱毛褐。既得如尸解，蜣螂忽蟬脫。主人門外來，詩才自豪闊。遲疾各性情，維余氣先奪。

贈圖牧山 諱清格

我訪圖牧山，步出沙窩門。臃腫百本樹，斷續千丈垣。野廟包其中，蹣跚僧灌園。僮奴數十家，雞犬自成邨。青鞵踏曉露，小閣延朝暾。烹茶亦已熟，洗盞猶細捫。平生書畫意，絕口不一言。江南渺音耗，不知君尚存。願書千萬幅，相與寄南轅。

又贈牧山

十日不能下一筆，閉門靜坐秋蕭瑟。忽然興至風雨來，筆飛墨走精靈出。小草小蟲意微妙，古石古雲氣奔逸。字作神禹鐘鼎文，雜以蝌蚪點濃潑。恠迂荒幻性所鍾，妥貼細膩學之謚。訪君古樹荒墳邊，葉凋草硬霜凜栗。一醉十日亦不辭，蘆溝歸馬

僊人疾揚州老僧文思最念君一紙寄之勝千鎰

送都轉運盧公諱見曾

揚州自古風流地惟有當官不自怡鹽筴米糵銷歲月崖花澗鳥避旌旗一從吏議三年謫得賦淮南百首詩昨把青鞵踏隋苑壺漿獻出野田兒

清詞頗似王摩詰復以精華學杜陵吟撼夜窗秋紙破思凝寒澗曉星澄樓頭古瓦疎桐雨牆外清歌畫舫燈歷盡悲歡並喧寂心絲裊入碧雲層

塵埃吹去又生塵汩盡英雄爲要津世外煙霞負漁釣胸中寵利愧君臣去毛折項葫蘆熟齧齒蓬頭婢僕貞兩世君家有清德即今風雅繼先民

何限鵷鸞供奉班慙予引對又空還舊詩燒盡重謄藁破屋修成好住山自寫簪花教幼婦閒拈玉笛引雙鬟吹噓更不勞前輩從此江南一梗頑

李氏小園

小園十畝寬落落數間屋春草無穢滋寒花有餘馥閉户養老母拮据市粱肉大兒執鸞刀縷縷切紅玉次兒拾柴薪細火煨陸續煙飄荳架青香透疎籬竹貧家滋味薄得此當鼎餗弟兄何所餐宵來母賸粥

晨起縫破衣鍼線不成行母年七十四眼昏手又僵裝綿苦欲厚用線苦欲長綫長衣縫緊綿厚耐雪霜裝成令兒暖母衣單薄涼不衣逆母懷衣之情内傷

兒病母煮藥老淚滴爐灰幾死復得活爲母而再來終養理之順哭兒情至哀老天有矜憐復使歸母懷

兄起掃黄葉弟起烹秋茶明星猶在樹爛爛天東霞杯用宣德甆壺用宜興砂器物非金玉品潔自生華蟲游滿院涼露濃敗蒂瓜秋花發冷豔點綴枯籬笆閉户成羲皇古意何其賒

野老

輸罷官租不入城秋風社酒各言情明年二月逢春閏細雨長隄看耦耕

贈金農

亂髮團成字深山鑿出詩不須論骨髓誰得學其皮

細君

爲折桃花屋角枝紅裙飄惹綠楊絲無端又坐青莎上遠遠張機捕雀兒

雨中

終日苦應酬連陰得閉門清涼滿心肺草木向我
言新竹倚屋簷緑沁窗紙昏梁燕坐不出蝸牛滿
苔痕犬跡踏沙軟躡屐恐泥翻廻廊足散步把書
行且溫家釀亦已熟呼僮傾盎盆小婦便爲客紅
袖對金尊

平山宴集詩 爲進士王元衡作

閑雲拍拍水悠悠樹繞春城燕繞樓買盡煙花消
盡恨風流無奈是揚州

春風細雨雷塘路旭日明霞六一祠江上落花三

十里令人愁殺冷胭脂

江東豪客典春衫綺席金尊索笑談臨上馬時還
送酒寒鴉落日滿淮南

野花紅艷美人䰟吐出荒山冷墓門多少隋家舊
宮怨珮環聲在夕陽邨

贈梁魏金 國手

坐我大樹下秋風飄白髭朗朗神仙人閉息斂光
儀小婦竊窺廊紅裳颺疎籬黃精煨正熟長跪奉
進之食罷仍閉目鼻息細如絲夕影上樹杪落葉
滿身吹機心付冰釋靜脉無横馳養生有大道不

獨觀奕碁

骨董

末世好骨董甘爲人所欺千金買書畫百金爲裝池缺角古玉印銅章盤龜螭烏几研銅雀象牀燒金猊一杯一尊斝按圖辨款儀鉤深索遠求到老如狂癡骨肉起訟獄朋友生猜疑方其富貴日價直千萬奇及其貧賤來不足換餅餈我有大古器世人苦不知伏羲畫八卦文周孔繫辭洛書著洪範夏禹傳商箕東山七月篇斑駁何陸離是皆上古物三代即次之不用一錢買滿架堆離披乃其最下者韓文李杜詩用以養德行壽考百歲期用以治天下百族歸淳熙大古不肯好逐逐流俗爲東家宣德爐西家成化窰盲人寶陋物惟下愚不移

逢客入都寄勗宗上人口號

汝到京師必到山山之西麓有禪關爲言九月吾來住檢點白雲房半間

貧士

貧士多窘艱夜起披羅幃徘徊立庭樹皎月墮晨輝念我故人好謀告當無違出門氣頗壯半道神

巳微相遇作冷語吞話還来歸歸来對妻子局促無儀威誰知相慰藉脫簪典舊衣入厨然破釜烟光凝朝暉盤中宿果餅分餉諸兒饑待我富貴来鬚鬢短且稀莫以新花枝誚此蘼蕪非

行路難三首

天明始覺滿身霜抖擻征衫曳馬韁茅店煖烟噓冷面躲人朝日出林塘

關山老馬怯馳驅幼僕而今作壯夫萬里功名何處是猶將青鏡看髭鬚

紅帖糊門挂栢枝東風馬上過年時一杯濁酒家千里逆旅多情送餅餈

又一首仍用前起句

天明始覺滿身霜日出纔伸十指僵山色半青還半霧馬頭紅葉是何莊

廣陵曲

隋皇只愛江都死袁嬢泪斷紅珠子玉勾斜土化為烟散入東風艷桃李樓上摘星攀夜天斗珠灼灼齊人肩靁塘水光四更白月痕斜出吳山尖曉閣涼雲笛聲瘦碎敲點花撒秋豆長夜歡娛日出眠揚州自古無清晝

秦宮詩後長吉作

方連四角燒艷香酒闌妓合燈煌煌金輿翠幰貴人散只有秦宮入畫堂南堂夫人賜金兕北堂相公同繡被未識歡哥一片心平分偏向知何寄内寵外寵重復重晝有微眠夜無寐自古溪花蕩雨風海棠不得辭憔悴天生禁臠奴非衆柔軟嬌憨復驍勇鳩鵲承明百尺墻斗上平翻燕赤鳳

范縣呈姚太守諱興滇

落落漠漠何所營蕭蕭澹澹自爲情十年不肯由科甲老去無聊掛姓名布襪青鞵爲長吏白榆文

杏種春城幾回大府来相問隴上閒眠看耦耕

塞下曲三首

天遠山空塞草長太平羽獵出漁陽少年馬上談詩事一種風流夾莽蒼

萬幛千山落日多將軍獵罷選清歌胡姬醉舞雙紅袖笑指黄羊挂駱駝

洗盡寒酸舊筆頭十年關塞覓封侯臂鷹躍馬黄皮袴射得豊狐作短裘

村居

霧樹溟濛叱亂鴉濕雲初變早来霞東風已綠先

春草細雨猶寒後，夜花村艇隔烟呼。鴨鶩酒家依岸扎籬笆，深居久矣忘塵世，莫遣江聲入遠沙。

懷無方上人

初識上人在西江，廬山細瀑鳴秋窗。後遇上人入燕趙，甕山古瓦埋荒廟。今君聞住孝兒營，亂石寒雲補棘荆。别築岩前數間屋，繪圖招我同歸耕。伊昔茅棚曬秋藥，我混屠沽君種作。推堕蹇驢邨市中，笑而不怒心寥廓。嗟我近事如束溼，爪牙惡吏相推排。不知喜怒為何事，夜夢蹋踏朝喧豗。一年一年逐留滯，徒使高人笑疣贅。我已心魂傍尒飛，来歲不歸有如水。

懷程羽宸　余江湖落拓數十年，惟程三子鵷奉千金為壽，一洗窮愁。羽宸是其表字。

世人開口易千金，畢竟千金結客心。自遇西江程子鵷，掃開寒霧到如今。

十載音書迴不通，蓼花洲上有西風。傳来似有非常信，幾夜酸辛屢夢公。

渡江

海日出復没，江光紫而冷。風平浩浩波，飄風定亭亭影。瓜步淼然去，北固蒼翠耿。未暇遊金焦，先寓象

山嶺

招隱寺訪舊五首

江鳥喚朝興山中訪舊僧遇泉先解渴濟勝漫誇能十里樹中曲半樓天外凭上方應遠在小歇更攀登

沃水先清面除煩更削瓜客真無禮數僧亦去袈裟竹榻斜支枕岩窗卧看花來朝好風日細細探烟霞

禪房精筆硯窗又碧紗糊吮墨情溫細論詩味澹腴茶槍新摘蕋蓮露旋收珠小盞烹涓滴青光淺淺浮

俯瞰僧歸寺微茫蟻附階過橋疑入澗轉樹忽登崖碧綠新篁果輕黃舊草蝶林深天欲暮風起作陰霾

樓有高於樹樹更過於樓上下扶蘿碧陰晴戶闥幽鳥聲人語讓花氣日光遒五月山秋逼僧衣裹作裘

雲

濃雲風不動薄靄片時過澤小含烟少山深吐氣多瀰漫遮大塊輕弱赴微波愛巧嫌癡重人情可

奈何

乳母詩

乳母費氏　先祖母蔡太孺人之侍婢也燮四歲失母育于費氏時值歲飢費自食于外服勞于內每晨起負燮入市中以一錢市一餅置燮手然後治他事間有魚飧瓜菓必先食燮然後夫妻子母可得食也數年費益不支其夫謀去乳母不敢言然長帶淚痕日取太孺人舊衣濺洗補綴汲水盈缸滿甕又買薪數十束積竈下不數

日竟去矣燮晨入其室空空然見破牀敗几縱橫視其竈猶温有飯一盞菜一盂藏釜內即常所飼燮者也燮痛哭竟亦不能食矣後三年來歸侍太孺人撫燮倍摯又三十四年而卒壽七十有六方來歸之明年其子俊得操江提塘官屢迎養之卒不去以太孺人及燮故燮成進士乃喜曰吾撫幼主成名兒子作八品官復何恨遂以無疾終

平生所負恩不獨一乳母長恨富貴遲遂令慚恧

久黄泉路迂濶白髮人老醜食祿千萬鍾不如餅在手

白門楊栁花

白門楊栁花飄飄陌上遊人互見招明璫翠袖車中手錦帶彎弓馬上腰少年何必曾相識好鳥名花天下惜妾住青樓第幾家映門桃栁方連刻家有水亭新綠荷東風不大生微波願得晴明好天氣郎來倚檻流清歌郎意温勤自安妥郎情佻薄誰關鎖陌上遊人盡愛儂儂得郎憐然後可

長干女兒

長干女兒年十四春遊偶過南朝寺髩髮纖鬆拜佛遲低頭墮下金釵翠寺裏遊人最少年閒行拾得翠花鈿送還不識誰家物幾嗅香風立悵然

長干里

墻裏花開墻外見籬門半覆垂楊綫門外春流一泒清青山立在門當面老子栽花百種多清晨擔賣下前坡三間古屋無兒女換得鮮魚供阿婆繰絲織繡家家事金鳳銀龍貢天子花樣新添一綫雲錦機不用西湖水機上男兒百巧民單衫布褐不遮身中原百歲無爭戰免荷干戈敢怨貧

比蛇

粤中有蛇好與人比較長短勝則齧人不勝則自死然必面令人見不暗比也山行見者以傘具上冲蛇不勝而死

好向人間較短長截岡要路出林塘縱然身死猶遺直不是偷從背後量

脆蛇

是蛇易斷易續能治病無毒土人以竹筒誘入塞之焙以爲藥

爲製人間妙藥方竹筒深鎖掛枯墻剪屠有毒餐無毒究竟身從何處藏

紹興

丞相紛紛詔勑多紹興天子只酣歌金人欲送徽欽返其柰中原不要何

宿光明殿贈婁真人 諱近垣

老聃莊列人中仙未聞白晝升青天五千妙義南華詮虛靜恬澹返自然秦皇漢武心如烟騰空飄幻無涯邊茂陵樹接驪山阡牧羊奴子來燒煎金丹服食促壽年元和大曆無愚賢我 朝力掃諸從前踢翻藥竈流丹鉛真人應運來翩翩神清氣朗心靜專渾融天地爲方圓出入仁義恢經權藏和納粹歸心田有何燒鍊丹磨研有何解脫尸蛇蟬我來古殿夜宿眠銀龍金索搖星躔雕闌玉砌朝露鮮名花異草相綿連費民千百萬金錢有明事業諸所傳真人假寓心棄捐毀之重勞姑置焉
天子曰俞聊取便匪令逐逐還沾沾富而敎之王政全萬國壽命同修延

破衲爲從祖福國上人作

衲衣何日破，四十有餘年。白首仍縫綻，青春已結穿。透涼經夏好，等絮入秋便。故友無如此，相看互有憐。

贈畾宗上人三首

罨畫溪邊髩尚髽，便拈荷葉作袈裟。一條水牯斜陽外，種得山頭十畝霞。

鬍公美似晉司空（謂青崖老人），識取雲間紫氣濃。手把干將日磨淬，匣中抽出秋芙蓉。

詩清雲淡兩無心，人自青春韻自深。好待菊花重九後，萬山紅葉冷相尋。

山中臥雪呈青崖老人

一夜西風雪滿山，老僧留客不開關。銀沙萬里無來跡，犬吠一聲村落閒。

紫瓊崖主人送板橋鄭燮爲范縣令

萬丈才華繡不如，銅章新拜五雲書。朝廷今得鳴琴牧，江漢應閒問字居。四廓桃花春雨後，一缸竹葉夜涼初。屋梁落月吟瓊樹，驛遞詩筒莫遺疎。

將之范縣拜辭

紫瓊崖主人

紅杏花開應教頻東風吹動馬頭塵闌干省徧嘗來少琬琰詩篇捧去新莫以梁園留賦客須教七月課豳民我　朝開國于今烈文武成康四聖人

僧壁題張太史畫松諱鵬沖

畫背所揭紙案頭已敗筆僧房坐無聊偶然作松骨松毛無幾許松幹頗鬱兀虬龍挺僵瘦脩虵欻出没輕雲濃欲無奔雷怒將擊想當無意中情神乍飄忽傍無指授人令作何體格胸無成見拘摹擬反自失魯公坐位帖要以草藁得我昔未嘗見僧粘在破壁及經驚歎奇千求不我錫此紙立即破裝潢事孔急吾求不汝強汝當真愛惜